Farshore

Originariamente pubblicato in Gran Bretagna nel 2021 da Farshore
An imprint of HarperCollins*Publishers*
1 London Bridge Street, London SE1 9GF
www.farshore.co.uk

HarperCollins Publishers Macken House,
39/40 Mayor Street Upper, Dublin 1
D01 C9W8 Ireland

Scritto da Thomas McBrien
Progettato da John Stuckey
Illustrazioni di Ryan Marsh
Prodotto da Laura Grundy
Un ringraziamento speciale a Sherin Kwan, Alex Wiltshire,
Kelsey Howard e Milo Bengtsson

The book is an original creation by Farshore.

Anno 2024 - Ristampa   2 3 4 5 6 7

MOJANG
STUDIOS

 mondadori.it

ISBN 978-88-04-74464-1

Stampato in Italia

SICUREZZA ONLINE PER GLI APPASSIONATI PIÙ GIOVANI

Trascorrere un po' di tempo online è un vero spasso! Ecco alcune semplici regole
perché gli appassionati più giovani non corrano rischi
e perché Internet rimanga un gran bel posto dove passare il proprio tempo libero:

- non rivelare mai il tuo vero nome; non usarlo come nome utente;
- non rivelare mai i tuoi dettagli personali;
- non dire mai a nessuno quale scuola frequenti o quanti anni hai;
- non rivelare mai la tua password a qualcuno che non sia un genitore o un tutore;
- ricorda che su molti siti devi avere almeno 13 anni per creare un account; controlla sempre
le regole del sito e chiedi il permesso a un genitore o a un tutore prima di iscriverti;
- se qualcosa ti preoccupa, avvisa sempre un genitore o un tutore.

Sul web sii prudente. Ogni link elencato in questo libro è stato verificato al momento della
stampa. Ciononostante, Egmont non è responsabile dei contenuti introdotti da parti terze.
Tieni presente che i contenuti telematici possono subire modifiche,
e che i siti web possono contenere materiale inadatto ai bambini.
Ti consigliamo di monitorare sempre l'utilizzo di Internet da parte dei bambini.

State attenti online! Farshore non è responsabile per i contenuti presenti su altri siti.

Carta da fonti gestite in maniera responsabile.

MINECRAFT

GUIDA
ALLA CREATIVITÀ

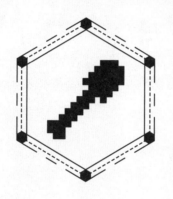

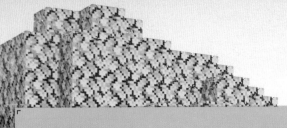

INDICE

BENVENUTO!...5

1. SI PARTE!

MODALITÀ CREATIVA...................................... 8-9
BUONE ABITUDINI..10-11
TIPI DI BLOCCO... 12-13
CONOSCI I TUOI BLOCCHI.............................. 14-15
SCEGLI I TUOI BLOCCHI 16-17
ESPLORIAMO UN TEMA CON: JERACRAFT 18-19
ILLUMINAZIONE ED EFFETTI........................... 20-25
BIOMI E SUB-BIOMI..................................... 26-29
IDEARE PAESAGGI..30-31
COMANDI CREATIVI...................................... 32-33

2. COSTRUZIONE

FORME E STRUTTURE......................................36-41
FAI DA TE: INTERNI...................................... 42-45
FAI DA TE: ESTERNI 46-49
USIAMO LE FORME CON: WATTLES.......................50-51
COSTRUZIONI COMBINATE.............................. 52-53

3. EDIFICI

SERRA SUPERBA 56-59
COTTAGE DELLA FORESTA MAGICA...................... 60-65
HABITAT DELLA BAIA DEI CORALLI 66-73
I TRUCCHI DI: TEAM VISIONARY 74-75
RIFUGIO FUTURISTICO 76-83
LASCIAMOCI ISPIRARE DA: VARUNA...................... 84-85
MANIERO MEDIEVALE 86-93

A PRESTO! 94

BENVENUTO!

Ecco a te la *Guida alla creatività* di Minecraft!

Minecraft è tante cose. È un posto in cui vivere eccitanti avventure;
un posto in cui inventare cose pazzesche; un posto in cui divertirsi insieme
agli amici; ed è anche un posto tutto da costruire. Abbiamo perfino realizzato
una modalità in cui si può scatenare la fantasia!

Ma tutti abbiamo bisogno di un piccolo aiuto per stimolare la creatività,
sia quando si imparano nuove tecniche sia quando si cerca ispirazione.
Ecco quindi un manuale pieno di consigli, suggerimenti, idee e trucchi.

Queste pagine sono state scritte da veri esperti; quindi, che tu sia alle prime
armi o giocatore navigato in cerca di nuove sfide, troverai informazioni utili
per diventare il grande costruttore che sogni di essere.

Questa guida è divisa in tre sezioni. La prima è un'introduzione alla modalità
Creativa e una guida agli elementi chiave per iniziare a costruire.
Poi studieremo le varie tecniche costruttive e i modi per combinare blocchi
e creare qualcosa di unico. Infine vedremo come applicare quanto imparato
con istruzioni passo-dopo-passo.

LARGO ALLA CREATIVITÀ!

SI PARTE!

Minecraft è un gioco di tipo "sandbox", dove tutto è possibile.
Muovere i primi passi nell'Overworld può creare qualche timore,
quindi concediti un po' di tempo per prendere confidenza con
l'ambiente. In questo libro troverai tutto quello che serve per
iniziare, dai tipi di blocchi a tua disposizione fino a utilissimi
consigli per completare le tue costruzioni.

Iniziamo!

MODALITÀ CREATIVA

PERCHÉ GIOCARE IN MODALITÀ CREATIVA?

1 VOLO LIBERO
Per entrare in modalità Volo premi due volte il tasto per saltare. Poi per andare in alto premi il tasto salta, e per andare in basso il tasto accovacciati.

2 DISTRUZIONE ISTANTANEA
Con un solo tocco puoi distruggere ogni blocco. In questo modo puoi risparmiare molto tempo e costruire più velocemente che mai.

3 MOB PASSIVI
In modalità Creativa i mob ostili sono passivi, quindi non devi preoccuparti di respingerli e non devi temere che distruggano il tuo lavoro.

4 NIENTE FAME
Senza barra della salute o della fame non devi preoccuparti di mangiare o di trovare il tempo per riposarti.

La modalità Creativa permette di costruire liberamente, con un'infinita riserva di blocchi e oggetti, e permette di rimuovere e cambiare i blocchi velocemente. Mancano alcuni aspetti della modalità Sopravvivenza, come la fame o i danni, così è possibile divertirsi spensieratamente.

INVENTARIO CREATIVO

L'inventario, in questa modalità, ti dà accesso illimitato a tutti i blocchi. Usa la casella di ricerca per trovare un blocco specifico e navigare tra le nove schede blocchi.

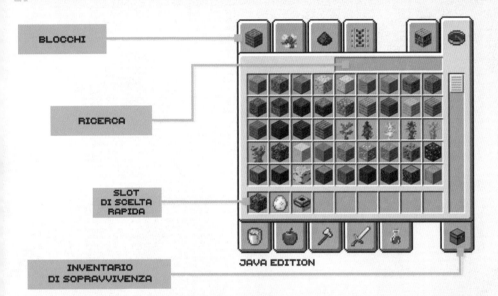

BLOCCHI

RICERCA

SLOT DI SCELTA RAPIDA

INVENTARIO DI SOPRAVVIVENZA

JAVA EDITION

OGGETTI E BLOCCHI ESCLUSIVI

Alcuni blocchi sono esclusivi della modalità Creativa: è impossibile crearli in modalità Sopravvivenza! Tra questi ci sono uova generatrici, telaio del portale dell'End e altri.

UOVA GENERATRICI

Fanno apparire qualunque mob!

TELAIO DEL PORTALE DELL'END

Crea un accesso per l'End.

BUONE ABITUDINI

PER INIZIARE

Può essere difficile scegliere cosa costruire, dato che non ci sono limiti alla fantasia. Dividi il lavoro in piccoli passi, così potrai migliorare in fretta!

PASSO 1: PROGETTO

  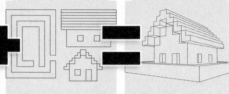

Scegli cosa costruire.

Decidi dove costruire.

Fai uno schizzo della costruzione.

Ecco il tuo progetto.

PASSO 2: STRUTTURA

Crea i contorni della costruzione.

Costruisci le fondamenta.

Aggiungi caratteristiche.

Ecco la tua struttura.

PASSO 3: DETTAGLI

Aggiungi l'illuminazione.

Crea mobili originali.

Aggiungi qualche decorazione.

Ecco il tuo edificio completo.

Non si diventa esperti costruttori in un attimo. Servono esercizio, pazienza e pianificazione. Dividere i progetti in passaggi facili da seguire ti aiuterà a migliorare rapidamente! Ascolta i consigli, prenditi il tempo che serve e divertiti!

I TIPICI PASSI FALSI

È inevitabile sbagliare e dover ricominciare da capo: i capolavori richiedono tempo! Fai attenzione a questi errori comuni tra i principianti.

Inizia da piccole cose e ingrandisciti piano piano. È facile perdere di vista l'insieme.

Semplice è meglio! Per iniziare bastano 3 tipi di blocchi.

Resta fedele al progetto iniziale. Non cambiare idea in continuazione!

SUPER DRITTA

La cosa più importante è fare un backup del tuo lavoro. Se hai un'idea ma temi che possa non funzionare, crea un backup così potrai ricominciare se fai un errore.

Anche se è divertente, evita di usare la TNT. Può letteralmente mandare all'aria il tuo lavoro.

TIPI DI BLOCCO

BLOCCHI FONDAMENTALI

Questi sono i blocchi più comuni in Minecraft, e sono usati principalmente per gli edifici.
Ci sono tre tipi di blocchi fondamentali: semplici, rifiniti e modellati.

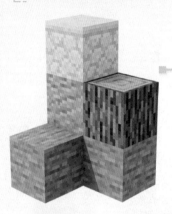

SEMPLICI

Sono i blocchi più comuni
tra cui scegliere per
iniziare. Si generano
spontaneamente
in qualsiasi bioma
di Minecraft.

RIFINITI

Questi blocchi possono
apparire nella variante
cesellata, levigata e
muschiosa. Si comportano
come i blocchi semplici,
ma hanno un aspetto più
dettagliato.

MODELLATI

I blocchi semplici e rifiniti
possono assumere la forma
di scale, lastre e pareti.
Ti serviranno per aggiungere
dettagli alle costruzioni.

Ci sono oltre 600 tipi di blocchi in Minecraft, dalle tavole di legno ai mattoni di pietra, dagli scalini di rame ai ripetitori di redstone. C'è l'imbarazzo della scelta! Per fortuna si possono dividere in categorie. Diamo un'occhiata ai diversi tipi di blocco.

BLOCCHI SPECIALI

Oltre ai blocchi fondamentali, ce ne sono alcuni che hanno funzioni speciali. Si dividono in tre categorie: interattivi, redstone e ad attivazione.

BLOCCHI INTERATTIVI

Questi blocchi compiono un'azione quando vengono attivati. Ognuno ha una sua funzione: per esempio le porte si aprono e si chiudono, i pistoni spingono e tirano. Usa questi blocchi per scoprire il loro funzionamento.

BLOCCHI DI REDSTONE

I blocchi di redstone servono per creare circuiti e meccanismi. Ogni blocco di redstone ha una sua funzione e può essere usato per creare edifici particolari. Parti da cose semplici e prova i blocchi prima di creare dei circuiti.

BLOCCHI AD ATTIVAZIONE

Servono per attivare i blocchi interattivi e di redstone. Fondamentali per controllare i meccanismi di redstone e per attivare luci e porte, di solito presentano leve o pulsanti.

CONOSCI I TUOI BLOCCHI

ANTICO EGITTO

- Arenaria
- Lana bianca
- Quarzo liscio
- Terracotta smaltata
- Staccionate di acacia

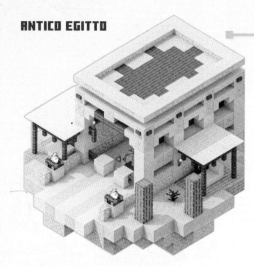

- Assi della giungla
- Lastre di quercia scura
- Fuochi da campo
- Botole di abete
- Assi di abete

SELVAGGIO WEST

TEMA INFERNALE

- Basalto levigato
- Pietranera levigata
- Magma
- Netherrack
- Rampicanti piangenti

Ispirati a un tema per rendere più suggestive le tue costruzioni. Combinando con attenzione certi blocchi puoi creare temi personalizzati, e se hai bisogno di ispirazione guarda questi che ti suggeriamo. Ogni tema si basa su 5 tipi di blocco per ottenere gli effetti desiderati.

STEAMPUNK

- Prismarino scuro
- Assi di abete
- Mattoni di pietra
- Calcestruzzo bianco
- Legno di abete

- Scalini di quercia
- Botola di quercia
- Pietrisco muschioso
- Pietrisco
- Abeti

FORESTA

INDUSTRIALE

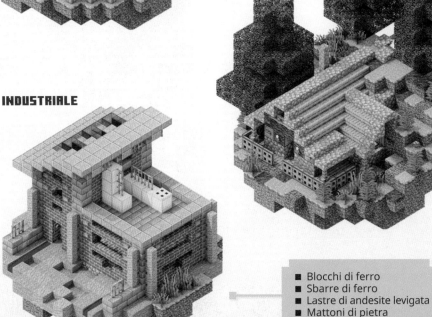

- Blocchi di ferro
- Sbarre di ferro
- Lastre di andesite levigata
- Mattoni di pietra
- Andesite

SCEGLI
I TUOI BLOCCHI

COLORI SEMPLICI

Per i più semplici accostamenti di colore usa 2 o 3 blocchi adiacenti nelle schede blocchi, che a volte sono sfumature di uno stesso colore. Questi sono chiamati colori analoghi.

COLORI COMPLEMENTARI

Scegliendo blocchi di colore opposto avrai schemi che contrastano vividamente, ma che stanno bene insieme. Vedi sotto i colori complementari, come arancione e turchese.

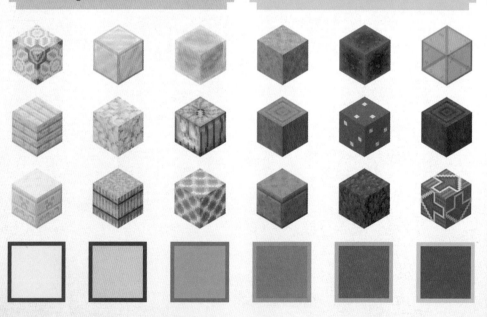

Per sapere quali blocchi usare ci vuole un certo occhio: i blocchi infatti determinano l'aspetto e la "personalità" della tua costruzione. Prima di partire con un nuovo progetto, scegli i blocchi che meglio si adattano al tuo tema. Studia gli schemi di colore in queste pagine!

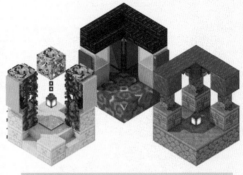

UNA PALETTE VARIOPINTA

Negli edifici più grandi si usano di solito molti colori. Crea una palette selezionando colori che si trovano a intervalli regolari sulla tabella. In questo modo la tua costruzione sarà più interessante.

VARIANTI DI TEXTURE

Infine, per ogni schema di colore che avrai scelto, aggiungi qualche variante usando blocchi con diverse texture. Questi blocchi evitano che le costruzioni abbiano un aspetto troppo uniforme.

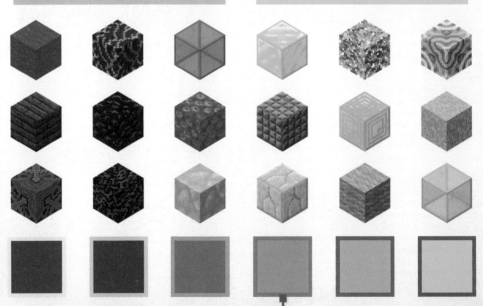

COMPLEMENTARI

"Per edifici a tema elfico mi ispiro ai racconti che parlano del loro legame con la natura. Per me, gli elfi sono orgogliosi delle loro abilità artigianali."

"Volevo rendere speciale questa costruzione, così ho deciso di creare una casa per elfi moderna. Ho evitato l'uso del legno, preferendo pietrisco, argilla, calcestruzzo e lana per creare forme sinuose che richiamano la natura."

"Dopo aver costruito la cornice dell'edificio usando il pietrisco, ho riempito i vuoti con blocchi di diversi colori. Poi ho aggiunto dettagli combinando blocchi di scalini e lastre, e ho messo anche lanterne delle anime e catene per creare un'atmosfera fantasy."

"Partendo dalla pietra ho potuto creare un edificio che si armonizza con il paesaggio, grazie a piante, alberi "fatti a mano" e forme che richiamano la natura."

Jeracraft ha conquistato milioni di fan su YouTube con i suoi temi, così gli abbiamo chiesto di parlare del suo processo creativo. Jeracraft ci mostra qui la sua casa per elfi moderna e ci spiega come si sia ispirato alle "forme elaborate ed eleganti della natura."

I tetti fatti con gli scalini danno all'edificio un aspetto rupestre.

Questo edificio prende ispirazione dall'ambiente selvatico ma è adattato a un contesto metropolitano. Lo stile elfico si esprime nelle forme elaborate ed eleganti dei tetti e delle arcate.

Anche se è una casa elfica moderna, ha comunque un'anima naturale. Se guardi da vicino, noterai piante e blocchi muschiosi un po' ovunque.

L'edificio si basa su 5 blocchi principali, ma ce ne sono altri, di diversi tipi, in vari punti di mura e tetti.

ILLUMINAZIONE ED EFFETTI

LIVELLI DI LUMINOSITÀ

In Minecraft ci sono 15 livelli di luminosità che vengono da diverse fonti di luce. Le luci rischiarano e valorizzano le costruzioni; inoltre a livello 8 i mob non possono generarsi, quindi è importante scegliere la giusta illuminazione.

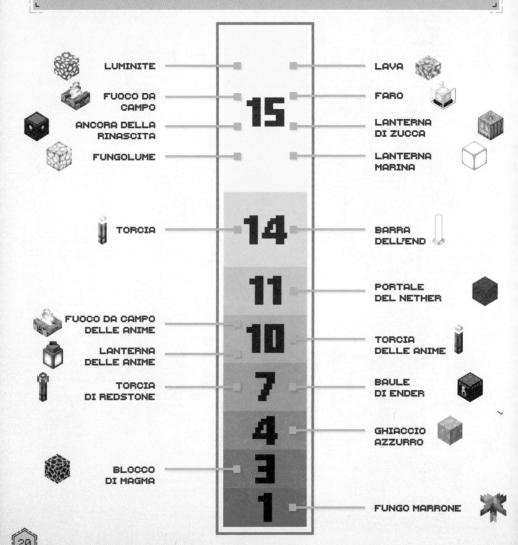

LUMINITE
FUOCO DA CAMPO
ANCORA DELLA RINASCITA
FUNGOLUME

TORCIA — **14**

FUOCO DA CAMPO DELLE ANIME — **10**
LANTERNA DELLE ANIME

TORCIA DI REDSTONE — **7**

BLOCCO DI MAGMA — **3**

LAVA
FARO
LANTERNA DI ZUCCA
LANTERNA MARINA

15

14 — BARRA DELL'END

11 — PORTALE DEL NETHER

10 — TORCIA DELLE ANIME

7 — BAULE DI ENDER

4 — GHIACCIO AZZURRO

1 — FUNGO MARRONE

L'illuminazione è una parte essenziale di ogni progetto e può fare la differenza tra un edificio mediocre e uno epico. Imparare a usare le luci è una delle imprese più impegnative di Minecraft, per questo abbiamo dedicato un capitolo a questo argomento.

EFFETTO LUCE

Ci sono molti modi per creare un effetto luce in Minecraft. Non è sempre facile ottenere esattamente l'atmosfera desiderata, quindi ecco alcuni consigli per iniziare.

ILLUMINAZIONE SOFFUSA

La luce può attraversare blocchi come tappeti, stendardi e quadri. In questo modo puoi illuminare la tua base senza far vedere la fonte luminosa, che rimane nascosta nelle pareti o nei pavimenti.

VARIAZIONI DI LIVELLO

Usa i livelli di luce per evidenziare caratteristiche dell'edificio. La tenue luminosità del magma e lo splendore delle barre dell'End sono perfetti per differenziare strutture e biomi.

SENSORE DI LUCE DIURNA

Alcuni edifici hanno un bellissimo aspetto di giorno, e quindi serve solo un'illuminazione notturna. Usa i sensori di luce diurna per accendere automaticamente le luci dopo il tramonto.

LUCE SOTT'ACQUA

L'illuminazione sott'acqua crea un bellissimo effetto. I cetrioli di mare sono ideali per questo scopo. Più cetrioli di mare aggiungi (fino a un massimo di 4), più brillante sarà la loro luce.

SCELTA DI STILE

Un'illuminazione in stile con la stanza può avere effetti spettacolari. Ci sono infiniti modi di usare creativamente la luce: Parti scegliendo un blocco luminoso e usa la tua immaginazione per sfruttarne al meglio le caratteristiche.

CANDELIERI

Le torce sono semplici ma anche versatili. Questa biblioteca è illuminata da un candeliere fatto con botole distorte, una torcia e scalini di quercia.

ACQUARIO

L'illuminazione sott'acqua è suggestiva, ma può creare difficoltà. I cetrioli di mare devono essere immersi in acqua per fare luce, e sono quindi perfetti per gli acquari.

CAMINO

Combina un fuoco da campo, sbarre di ferro e mattoni. Il fuoco da campo brucerà all'infinito.

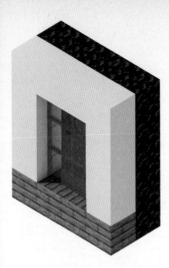

VETRATE COLORATE

Dai più brio al panorama fuori dalle finestre usando vetri colorati. Puoi scegliere tra 16 colori diversi.

TORCIA A PARETE

Usando, nell'ordine, una cornice, una lastra e una torcia puoi creare un'illuminazione di tipo medievale, che è tra le più amate dai giocatori.

CANDELIERE

Crea un elegante candeliere attaccando barre dell'End alle staccionate.

MURO DI FUOCO

Crea una parete di lava chiudendo sorgenti di lava dietro pannelli di vetro e blocchi di pietra. Evita il legno, perché prenderebbe fuoco!

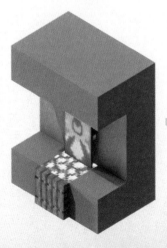

FARETTO

La luminite dà la maggior luce possibile, quindi è perfetta per valorizzare le cose a cui tieni di più, come stendardi particolari e oggetti per incantesimi.

SPAZI ESTERNI

Illuminare grandi spazi all'aperto può essere complicato: tanta luce, tutta da una stessa fonte, risulta monotona, ma se è troppo buio verranno generati dei mob. Ci sono molti modi per illuminare gli esterni; scegli una fonte di luce e scatena la fantasia.

LAMPIONE

Questo lampione ha una lanterna di zucca nascosta che fornisce molta luce. Controlla i livelli di luce a p. 20.

CALDERONE PER CUCINARE

Costruisci un fuoco da campo con sopra un calderone da usare come pentola. Metti delle panchine per creare un bel campeggio.

FARO DI SEGNALAZIONE

I fari sono perfetti per illuminare grandi spazi aperti perché possono essere piazzati ovunque serva luce extra.

GUGLIE FLUORESCENTI

La barra dell'End è una discreta sorgente di luce. Con il suo splendore fluorescente è perfetta per edifici moderni, come in questa guglia!

ZUCCHE A VOLONTÀ

Queste lanterne di zucca danno una bella luce diffusa. Sono molto luminose, e se messe davanti a un muro funzionano da luci nascoste.

ALBERO INFESTATO

Questo grande albero infestato emana una luce blu grazie alle torce delle anime tra i rami. Puoi usare tutte le torce che vuoi, a seconda se desideri una luce fioca o brillante.

LAGHETTO ETEREO

Questo laghetto fatato risplende grazie ai cetrioli di mare, che sono perfetti per creare un'atmosfera fantasy.

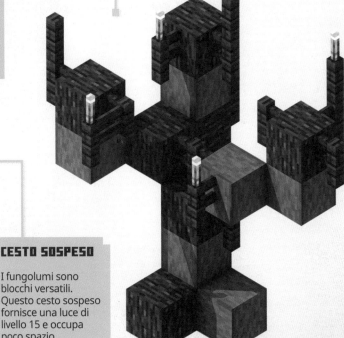

CESTO SOSPESO

I fungolumi sono blocchi versatili. Questo cesto sospeso fornisce una luce di livello 15 e occupa poco spazio.

BIOMI E SUB-BIOMI

BIOMI E SUB-BIOMI

Ogni bioma ha diversi sub-biomi con caratteristiche proprie. Ci sono più di 75 sub-biomi tra cui scegliere! Esplora l'area intorno a te o usa il comando trova bioma (vedi a p. 32) per scoprire tutti i biomi e le relative varianti.

IGLOO FORTIFICATO

TUNDRA INNEVATA

I biomi innevati, così privi di vegetazione, sono ideali per costruzioni ispirate all'inverno.

SUB-BIOMA:
Montagne innevate.

VILLAGGIO DI CONTADINI

PIANURA

Questo bioma piatto, ricco d'erba e di acqua, è ideale per ampi complessi architettonici.

SUB-BIOMA:
Pianura di girasoli.

Scegliere con attenzione il posto in cui costruire è importante tanto quanto il progetto. L'Overworld, il Nether e l'End ospitano tanti biomi diversi e devi solo trovare quello che fa per te. Entra in modalità Creativa ed esplora per vedere tutto quello che c'è.

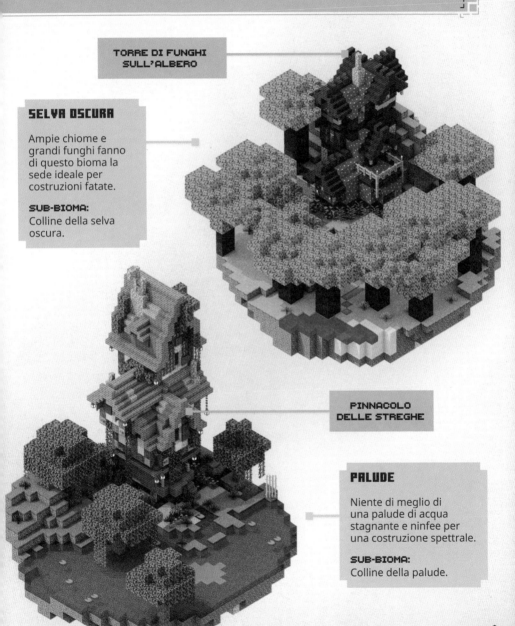

TORRE DI FUNGHI SULL'ALBERO

SELVA OSCURA

Ampie chiome e grandi funghi fanno di questo bioma la sede ideale per costruzioni fatate.

SUB-BIOMA:
Colline della selva oscura.

PINNACOLO DELLE STREGHE

PALUDE

Niente di meglio di una palude di acqua stagnante e ninfee per una costruzione spettrale.

SUB-BIOMA:
Colline della palude.

PIATTAFORMA PER IMMERSIONI

OCEANO

Questo bioma è perfetto per case galleggianti e costruzioni sottomarine.

SUB-BIOMA: Oceano caldo.

CASTELLO SUL CONFINE

FORESTA DISTORTA

Questo bioma del Nether è ottimo per costruire rifugi segreti.

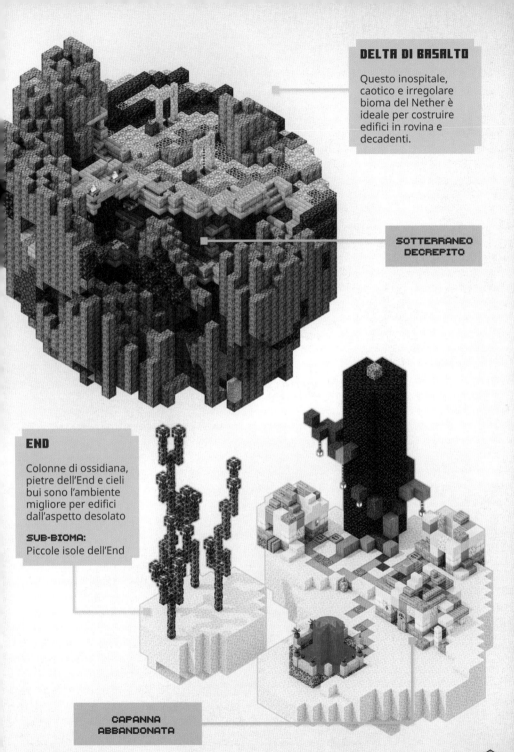

DELTA DI BASALTO

Questo inospitale, caotico e irregolare bioma del Nether è ideale per costruire edifici in rovina e decadenti.

SOTTERRANEO DECREPITO

END

Colonne di ossidiana, pietre dell'End e cieli bui sono l'ambiente migliore per edifici dall'aspetto desolato

SUB-BIOMA:
Piccole isole dell'End

CAPANNA ABBANDONATA

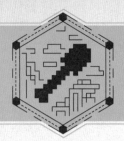

IDEARE PAESAGGI

1 TROVA UN SITO

Cerca un bioma adatto alla tua idea. Partire da un bioma esistente che ha una caratteristica che ti interessa, come una montagna o una struttura generata, ti farà risparmiare un sacco di tempo.

2 SCEGLI UN TEMA

Scegli i blocchi giusti per il tema e l'ambientazione, che siano quelli presenti nel bioma o altri. Usare varianti dei blocchi esistenti dà più personalità al progetto.

3 PARTI DAL SEMPLICE

Inizia con una piccola area di prova: rimuovi i blocchi che non ti servono e usa i tuoi. Crea elementi del paesaggio come fiumi e campi per metterti alla prova.

PRIMA

Se non trovi il bioma che fa per te, puoi crearne uno. Hai già fatto qualcosa del genere se hai scavato una stanza in una parete rocciosa o hai tagliato alberi per fare spazio a un campo. Si chiama "terraformazione" e significa modificare un ambiente, e ogni costruttore dovrebbe saperlo fare.

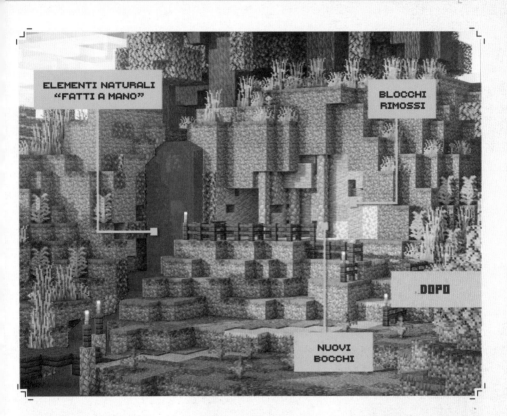

ELEMENTI NATURALI "FATTI A MANO"

BLOCCHI RIMOSSI

DOPO

NUOVI BOCCHI

4 GUARDA DA LONTANO

Quando hai terminato, prenditi un momento per guardare da una certa distanza quello che hai fatto. È tutto esattamente come lo avevi immaginato? Forse sarebbe meglio cambiare qualche blocco?

5 COMPLETA IL LAVORO

Quando sarai soddisfatto del test, inizia ad ampliare l'opera mettendo tutto quello che serve. Agisci con lentezza e metodo, e ricorda di verificare, di tanto in tanto, come procede il lavoro per ottenere l'effetto desiderato.

SUPER DRITTA

Non c'è limite a quello che puoi costruire in Minecraft. Molti giocatori optano per piccole strutture, mentre altri creano interi biomi. Puoi davvero "terraformare" quello che vuoi.

COMANDI CREATIVI

COMANDI: SÌ

Per attivare i comandi, seleziona l'opzione "Comandi: SÌ" quando crei un nuovo mondo. In un mondo esistente seleziona "Apri in LAN" dal menu e clicca su "Comandi: SÌ".

LOCALIZZA

Questo strumento ti fornirà le coordinate delle strutture autogenerate. Usa il comando:

`/locate village`

TROVA BIOMA (JAVA EDITION)

Questo strumento ti dà le coordinate di ogni tipo di bioma esistente. Usa il comando:

`/locatebiome minecraft:beach`

TELETRASPORTO

Una volta localizzato il bioma, questo strumento ti permette di aggiungerne le coordinate. Usa il comando:

`/tp player 10 10 10`

ORA

Puoi controllare sempre l'orario. Se preferisci vedere un edificio di giorno invece che a notte fonda, usa il comando:

`/time set day`

TEMPO ATMOSFERICO

Puoi anche controllare il meteo. Se vuoi vedere il tuo edificio sotto la pioggia o sotto il sole, usa il comando:

`/weather rain`

Con la modalità Creativa hai accesso ai comandi di gioco, che sono molto utili. Usandoli correttamente quando inizi una costruzione, potrai risparmiare molto tempo. Sono talmente utili che usarli in modalità Sopravvivenza sarebbe come barare!

MODALITÀ DI GIOCO

Vuoi testare la costruzione in altre modalità?
Usa il comando:

```
/gamemode creative
```

INVENTARIO

Puoi modificare diverse regole. Per esempio, per modificare la regola keepInventory usa il comando:

```
/gamerule
keepInventory
```

GRIEFER

Temi che il tuo lavoro sia rovinato da creeper che esplodono o enderman che rubano blocchi? Per modificare le impostazioni usa il comando:

```
/gamerule
mobGriefing
```

SEME (JAVA EDITION)

Se hai trovato un mondo che ti piace e vuoi ricrearlo, usa questo comando.
Se giochi con l'edizione Bedrock trovi il seme nel menu delle opzioni.

```
/seed
```

COMANDI

Per una lista completa dei comandi disponibili usa:

```
/help
```

COSTRUZIONE

Adesso che conosci blocchi e biomi, puoi iniziare a studiare
come usarli. In un gioco basato su blocchi come questo,
essere capace di identificare le forme usate
nelle costruzioni ti aiuterà a diventare velocemente
un esperto. Ma costruire non è solo assemblare!
Un costruttore deve cavarsela bene anche
con le decorazioni. Vediamo insieme
tutte le possibilità che ci sono.

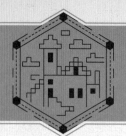

FORME E STRUTTURE

FORME

Molti giocatori amano la semplicità. Conoscere le forme di base e il modo di combinarle tra loro ti dischiude possibilità infinite. Esaminiamo più da vicino queste forme basilari.

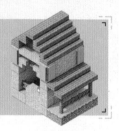

PRISMI TRIANGOLARI

Le forme triangolari sono comode per tetti, muri e perfino come rifugi, inoltre possono dare maggior personalità agli edifici.

CUBOIDI

I cuboidi, quadrati o rettangolari, sono tra le forme più semplici e più usate. Sono comodi per basi provvisorie, costruzioni rapide e strutture semplici.

PIRAMIDI

Le piramidi hanno una forma molto riconoscibile. Sono ideali per i tetti o come edifici a sé stanti.

Ogni struttura in Minecraft, non importa quanto grande o complessa, può essere semplificata in forme più basilari. Prima di costruire una nuova struttura, prova a suddividerla nelle componenti essenziali. Vedere come le forme funzionano insieme ti permette di capire ogni tipo di edificio.

SFERE

Anche se non si può creare una sfera perfetta in Minecraft, puoi approssimarne una. Le sfere si fanno usando una serie di forme circolari, e sono molto amate in questo gioco.

CILINDRI

I cilindri sono un'estensione delle forme circolari usate per le sfere. Hanno più carattere e complessità dei normali cuboidi e possono essere usati sia in verticale sia in orizzontale.

37

CUBOIDI

CUBOIDI: SPIEGAZIONE

I cuboidi sono le forme più semplici. Ogni struttura quadrata o rettangolare con quattro pareti è un cuboide. Sono largamente usati nelle costruzioni, soprattutto dai principianti, e si trovano in quasi tutti i grandi edifici.

CUBOIDI

I cuboidi hanno 6 lati,
2 orizzontali,
2 verticali e
2 longitudinali.

PIRAMIDI

PIRAMIDI: SPIEGAZIONE

Le piramidi sono molto popolari. In genere presentano 4 fianchi triangolari su una base quadrata. Sono strutture versatili e permettono di variare le abituali forme squadrate. Sono spesso usate per i tetti, o come edifici a sé stanti.

BASE QUADRATA

La base determina forma e dimensione della piramide. Una base quadrata è ideale per supportare 4 pareti triangolari.

TRIANGOLI

Le piramidi sono fatte di triangoli. Per creare triangoli, rimuovi un blocco da ogni lato, a ogni livello, partendo dalla base e salendo.

PENDENZA

Per ottenere pareti inclinate, metti i blocchi scalati, avvicinandoti sempre più al centro a ogni livello.

PRISMI TRIANGOLARI: SPIEGAZIONE

I prismi triangolari sono diffusi quanto le piramidi. Queste forme triangolari estese funzionano sia come tetti sia come edifici (per esempio una tenda o un fienile). Anche se sono simili alle piramidi, sono più complessi e versatili, e per questo sono apprezzati anche dai giocatori più esperti.

ESTREMITÀ TRIANGOLARI

Le estremità più piccole hanno forma di triangoli. Per crearli, basta rimuovere un blocco per ogni strato a partire dalla base.

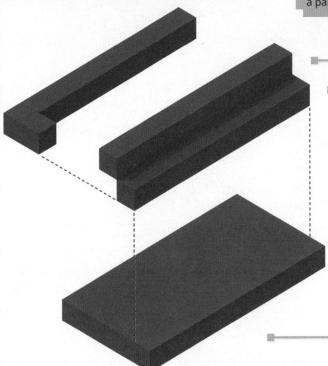

LATI A GRADINI

Per costruire i lati a gradini, spostati di un blocco verso il centro ogni volta che sali di livello.

BASE RETTANGOLARE

I prismi hanno di solito una base rettangolare. Può essere lunga quanto vuoi, ma la larghezza determina l'altezza.

QUESTI SONO TUTTI PRISMI TRIANGOLARI!

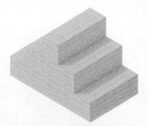

STRETTO

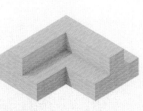

AD ANGOLO

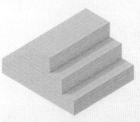

LARGO

SFERE: SPIEGAZIONE

Le sfere sono considerate le forme più difficili da creare in Minecraft, ma basta sapere come fare! In fondo si tratta di anelli via via più piccoli collegati gli uni agli altri. Costruendo metà di una sfera puoi ottenere una cupola.

CERCHI PIÙ PICCOLI

Adesso crea 4 cerchi, che misurino rispettivamente: 9x9, 9x9, 7x7, 5x5.

CERCHI PIÙ GRANDI

Crea altri 3 cerchi, che misurino a loro volta: 7x7, 9x9, 9x9.

UN ALTRO CERCHIO

Crea un altro cerchio di dimensioni uguali al più grande: 9x9.

PRIMO CERCHIO

Inizia da un cerchio 5x5 usando i contorni come guida.

QUESTE SONO TUTTE SFERE!

GRANDE

PICCOLA

CUPOLA

ELLISSOIDE

CILINDRI: SPIEGAZIONE

I cilindri sono un'altra forma essenziale in Minecraft. Sono un mix tra cuboidi e sfere e sono indispensabili per creare edifici spaziosi e ricchi di dettagli.

BASE CIRCOLARE

Inizia da una base circolare di 7x7 usando i contorni come guida. Puoi creare cilindri più o meno grandi aggiungendo o rimuovendo 2x2 blocchi: 9x9, 13x13, 15x15.

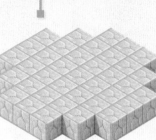

MURI CIRCOLARI

Usando i contorni della base, innalza pareti tanto alte quanto larghe. Usando una base di 7x7, costruisci pareti alte 8 blocchi.

ORIZZONTALE E VERTICALE

Puoi costruire cilindri sia in orizzontale sia in verticale. Per un cilindro orizzontale, segui le istruzioni partendo da una base verticale.

QUESTI SONO ENTRAMBI CILINDRI!

VERTICALE

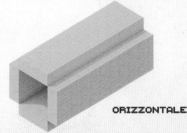

ORIZZONTALE

FAI DA TE: INTERNI

POLTRONA

Per le sedie usa botole e scale. Gli stendardi sono ottimi come cuscini.

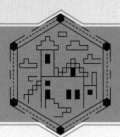

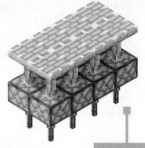

TAVOLO A PISTONI

Ideale per sale da pranzo, le sue gambe sono torce di redstone che attivano i pistoni.

SCALA

Le scale a chiocciola sono spettacolari e poco ingombranti.

CAMINETTO

Puoi aggiungere tanti dettagli. Riempi le mensole di decori e crea una griglia con i binari.

Una volta completato l'edificio, è ora di decorare! Ci sono tanti blocchi decorativi tra cui scegliere, ma puoi anche combinare dei blocchi per ottenere qualcosa di esclusivo. Lasciati ispirare dal mondo intorno a te e immagina quali oggetti d'arredamento potresti costruire.

DOCCIA CON VISTA

Pannelli di vetro e prismarino sono ideali. Metti una sorgente d'acqua nascosta in alto per l'effetto rubinetto.

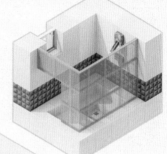

VASCA DA BAGNO

Pronto per un bagnetto? Ecco una vasca in cui rilassarti la sera.

LAVANDINI

I calderoni possono fungere da lavandini. La luce delle barre dell'End è ottima per la stanza da bagno.

FINESTRE

Con i pannelli di vetro alle finestre puoi far entrare la luce del giorno. Per le tende puoi usare gli stendardi, poi completa il tutto con un davanzale.

SCAFFALI

Arreda le pareti vuote con scaffali. Puoi usarli per piante, bauli e tutto ciò che vuoi mettere in mostra.

SALOTTO

Non c'è salotto senza divano! Usa gli scalini per il sofà e le lastre per il tavolino da caffè.

CUCINA

Puoi usare i calderoni come lavandini, e con le botole puoi fare gli sportelli.

TAVOLO

A volte tutto quello che serve è un semplice tavolo con sedie. Questo è fatto di lastre e tappeti, mentre le sedie sono fatte di scalini e cartelli.

FRIGO

Anche se non devi preoccuparti che il cibo vada a male, puoi sempre costruire un frigo in cui tenere gli snack!

BUON APPETITO!

Una campana si sente da lontano: l'ideale per chiamare gli amici quando la cena è pronta!

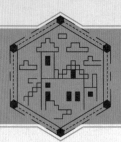

FAI DA TE:
ESTERNI

FIORIERE

Queste fioriere sono fatte con botole e terra. Piante come papaveri e tulipani ravviveranno l'ambiente con i loro colori.

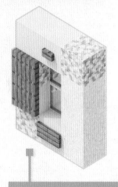

IMPOSTE

Le imposte sono dettagli molto realistici per le finestre. Le botole sono perfette perché si applicano a quasi tutte le superfici.

TETTO

Può essere difficile fare un bel tetto. Piccoli dettagli come pulsanti e cartelli sono un buon modo per iniziare.

FUMO DEL CAMINO

Un camino in attività è segno di vita. Puoi usare le ragnatele per creare un effetto fumo.

Una costruzione non è completa se l'esterno non è decorato quanto l'interno! Hai tante possibilità, dai mobili da giardino ai cespugli. Usa l'immaginazione e scegli le decorazioni più adatte al tuo tema. Che cosa costruirai?

VARIANTI

Puoi spezzare la monotonia di facciate troppo uniformi aggiungendo, per esempio, varianti di blocchi.

PERGOLATI

Con i pergolati puoi riempire grandi spazi. Inoltre puoi aggiungere piante e illuminazione.

DECORAZIONI ORIGINALI

Puoi aggiungere dettagli bizzarri come queste palle con catena. Non servono a niente, ma sono scenografici.

BALCONE

Crea spazi esterni extra come questo balcone, perfetto per il deserto.

PONTI

Semplici e veloci
da costruire,
i ponti sono di
grande effetto.

POZZA D'ACQUA

Lontano dai fiumi
o dal mare, sono
indispensabili delle
pozze d'acqua. Qui
ci sono 3 sorgenti
d'acqua l'una accanto
all'altra. Però non farlo
nel Nether, perché
l'acqua evaporerebbe!

FIORIERA DEL NETHER

Combina le tinte
cremisi e blu del
Nether per strutture
in stile, come questa
fungaia.

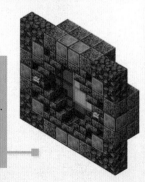

VETRATA COLORATA

Usa il vetro colorato.
In questo edificio
ispirato al Nether
ci sono finestre
di vetro grigio.

GRU

Altra decorazione senza funzioni particolari, la gru è un dettaglio che rende unica una costruzione. Il contrasto con il quarzo esalta le differenze tra le superfici.

SCALONE

Un imponente edificio merita un imponente scalone. Questa versione a più rampe è semplice ma piuttosto elegante.

ARCO CON VASO

Invece di pareti complete prova a usare gli archi. Danno più slancio agli edifici e puoi aggiungere anche qualche pianta.

USIAMO LE FORME CON: WATTLES

"Quando inizio una costruzione parto da una forma di base e poi aggiungo dettagli. Questo tempio romano comprende 4 forme: un rettangolo per l'entrata, un cerchio per la parte centrale, un quadrato per la base del tetto e una mezza sfera per la cupola!"

"Per costruzioni avanzate come questa, parti dai contorni. Poi procedi per prove ed errori, senza scoraggiarti, per ottenere la struttura che desideri."

"Non trascurare i piccoli dettagli e crea particolari fatti da te. Qui ho usato blocchi come i calderoni per creare delle strutture adatte al tema che avevo scelto."

Anche l'edificio più complesso, come questo tempio dell'antica Roma, deve iniziare da qualche parte. Non è facile immaginare come si possa passare da forme basilari a costruzioni avanzate. Per fortuna lo youtuber e maestro costruttore Wattles è qui per aiutarti.

"I calderoni mi piacciono molto. Si possono usare come cesti sospesi al soffitto utilizzando delle semplici catene."

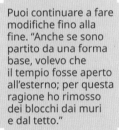

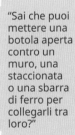

"I fuochi da campo fanno una bella luce Mettine uno su un blocco, poi circondalo aggiungendo cartelli tutto intorno."

Puoi continuare a fare modifiche fino alla fine. "Anche se sono partito da una forma base, volevo che il tempio fosse aperto all'esterno; per questa ragione ho rimosso dei blocchi dai muri e dal tetto."

"Sai che puoi mettere una botola aperta contro un muro, una staccionata o una sbarra di ferro per collegarli tra loro?"

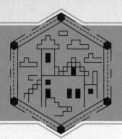

COSTRUZIONI COMBINATE

ATTACCARE

La via più semplice per costruire è congiungere due o più forme mettendole l'una accanto all'altra. Puoi farlo con tutte le forme purché i loro blocchi si tocchino. Questo metodo va benissimo per i principianti.

SPAZIO EXTRA

La forma di questa casa è ottenuta dalla combinazione di un cuboide e di un prisma triangolare. Un secondo prisma è stato aggiunto al tetto per creare un abbaino.

EFFETTI

Usare le ragnatele per creare il fumo è un modo geniale per aggiungere dettagli.

TEMA

I blocchi sono stati scelti con cura per creare un'atmosfera boschiva. Blocchi di base come scalini, muri e lastre hanno permesso di creare un magnifico effetto finale.

ESTERNI

Alcuni piccoli tocchi all'esterno danno un effetto di completezza all'architettura.

Adesso che conosci blocchi, temi, forme e trucchi fai da te, vediamo come usarli insieme. Impara a combinarli e presto potrai costruire ogni struttura immaginabile. Puoi partire da semplici accostamenti per arrivare a una fusione tra più elementi.

FUSIONE

Unendo due strutture dai più respiro alla creatività. Sovrapponendo delle forme puoi creare qualcosa di unico. Con un po' di esercizio si impara facilmente, e quando sarai diventato bravo non avrai altro limite che quello della fantasia.

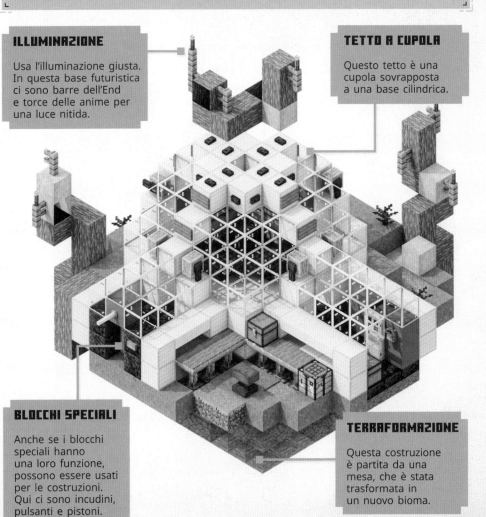

ILLUMINAZIONE

Usa l'illuminazione giusta. In questa base futuristica ci sono barre dell'End e torce delle anime per una luce nitida.

TETTO A CUPOLA

Questo tetto è una cupola sovrapposta a una base cilindrica.

BLOCCHI SPECIALI

Anche se i blocchi speciali hanno una loro funzione, possono essere usati per le costruzioni. Qui ci sono incudini, pulsanti e pistoni.

TERRAFORMAZIONE

Questa costruzione è partita da una mesa, che è stata trasformata in un nuovo bioma.

EDIFICI

Le prime volte che si gioca a Minecraft può mancare
l'ispirazione, ed ecco perché ti proponiamo una selezione
di costruzioni originalissime con cui iniziare. Segui le istruzioni
che trovi nelle prossime pagine, vedrai applicati gli argomenti
di cui abbiamo parlato finora.

Sentiti libero di modificare le costruzioni
per renderle uniche!

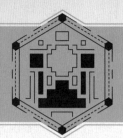

SERRA SUPERBA

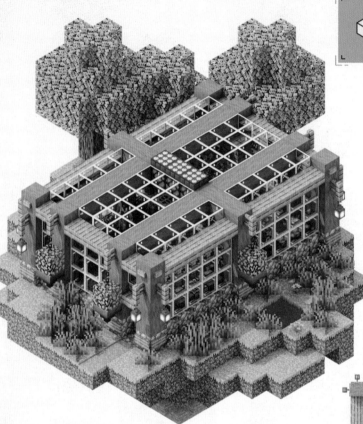

BLOCCHI PRINCIPALI

FRONTE

LATO

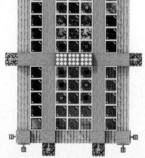

ALTO

Edifici semplici basati su cuboidi sono il miglior punto di partenza per chi
è alle prime armi. Questa serra parte da una forma semplicissima a cui
si aggiunge un tema scelto attentamente, per un risultato magnifico.
Osserva l'efficacia dell'illuminazione con il sensore di luce diurna.

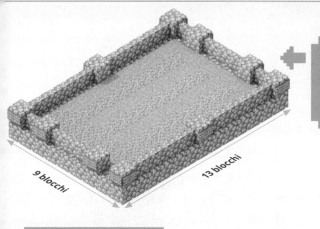

9 blocchi

13 blocchi

1 Inizia a costruire partendo dalle fondamenta della tua serra. Usando ghiaia, pietrisco e muretti di pietrisco potrai creare un effetto davvero strepitoso.

Le piante devono avere intorno 4 sorgenti d'acqua per vivere.

2 Lungo le pareti metti blocchi di terra zappata e botole. Poi metti 2 sorgenti d'acqua, che serviranno per irrigare le piante e ottenere un raccolto. Aggiungi delle impalcature e altri blocchi utili.

3 Completato il piano terra, amplia le pareti e l'entrata. Aggiungi colonne di 3 blocchi di legno di abete scortecciato e collegale con pannelli di vetro. Poi aggiungi botole, staccionate, lastre e scalini per decorare.

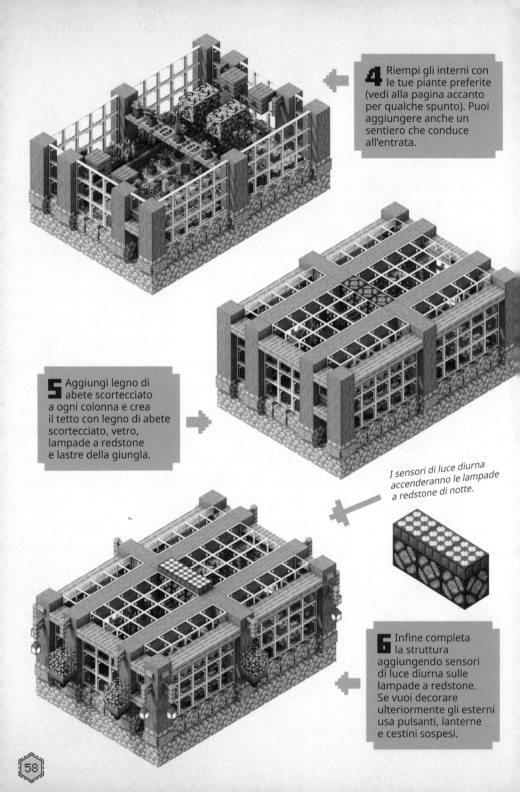

4 Riempi gli interni con le tue piante preferite (vedi alla pagina accanto per qualche spunto). Puoi aggiungere anche un sentiero che conduce all'entrata.

5 Aggiungi legno di abete scortecciato a ogni colonna e crea il tetto con legno di abete scortecciato, vetro, lampade a redstone e lastre della giungla.

I sensori di luce diurna accenderanno le lampade a redstone di notte.

6 Infine completa la struttura aggiungendo sensori di luce diurna sulle lampade a redstone. Se vuoi decorare ulteriormente gli esterni usa pulsanti, lanterne e cestini sospesi.

GIARDINI PENSILI

Usa foglie e rampicanti per una vegetazione rigogliosa!

PANCHETTI

Crea panchetti con le impalcature e aggiungi vasi di piante!

BANCO DA LAVORO

Crea un tavolo da lavoro, perché è sempre utile averne uno!

CESTINI SOSPESI

Questi cestini ti permettono di aggiungere del verde all'esterno della serra.

ORTO

Semina un orto. Con le barbabietole si fanno ottime zuppe.

SCAFFALI SOSPESI

Con questi scaffali puoi aggiungere molte piante in vaso.

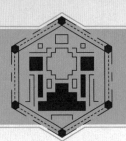

COTTAGE DELLA FORESTA MAGICA

DIFFICOLTÀ:
🕐 60 minuti

BLOCCHI PRINCIPALI

FRONTE

LATO

ALTO

1 Localizza una Foresta distorta e getta le fondamenta del cottage. Puoi predisporre lo spazio per i vari ambienti, per esempio la cucina, usando blocchi diversi.

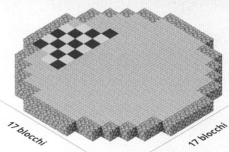

17 blocchi

17 blocchi

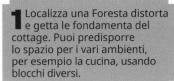

2 Alza le pareti lungo il perimetro delle fondamenta, lasciando spazio per una porta di quercia scura e 3 finestre con pannelli di vetro. Usa un mix di pietrisco e pietre varie per dare più carattere alle pareti.

3 Aggiungi betulla scortecciata alla tua selezione di blocchi e continua a costruire muri e finestre. Poi crea un architrave decorativo sulla porta usando andesite, scalini di andesite e un mattone di pietra cesellata.

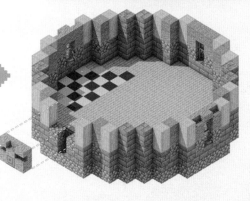

4 Ora costruisci una piattaforma di quercia scura usando lastre. Lascia 2 buchi come mostrato. Aggiungi luci e decorazioni esterne.

Appendi lanterne e campane alla facciata per dare profondità.

5 Inizia a creare i contorni del tetto. Usa assi e lastre di betulla per dare l'aspetto di un tetto a più livelli.

6 Usando lastre di betulla, crea delle tettoie: sono un bel dettaglio e inoltre ti permettono di appendere lanterne e campane.

Gli scalini di mattoni di pietra messi di lato fanno sembrare più spazioso il cottage.

7 Ora aggiungi altri tipi di blocchi che contrastino con il tetto di betulla. Qui abbiamo usato balle di fieno e scalini di mattoni di pietra: per sapere come scegliere i blocchi in base al tema prescelto torna alle pp. 16-17.

8 Continua a costruire il tetto con un altro anello di blocchi sopra quello del punto 7. L'altezza di questi blocchi deve dare ai giocatori lo spazio per stare in piedi.

9 Aggiungi altri anelli, spostando ogni blocco più vicino al centro per creare la cupola.

10 Aggiungi un altro anello, lasciando un buco di 5x5 al centro.

SUPER DRITTA

Il tetto ha la forma di una cupola divisa in quattro parti. Se vuoi saperne di più su come costruire forme sferiche, vai alle pp. 40-41.

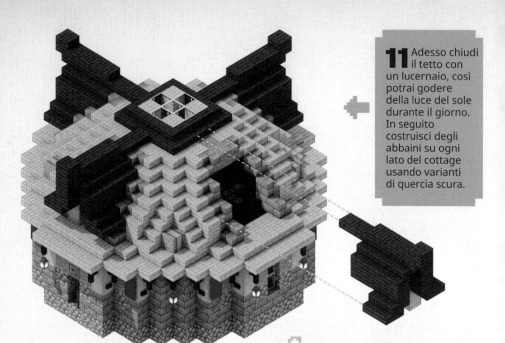

11 Adesso chiudi il tetto con un lucernaio, così potrai godere della luce del sole durante il giorno. In seguito costruisci degli abbaini su ogni lato del cottage usando varianti di quercia scura.

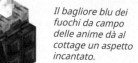

Il bagliore blu dei fuochi da campo delle anime dà al cottage un aspetto incantato.

12 Infine aggiungi rifiniture sugli esterni. Metti cartelli di betulla e pulsanti sulle pareti degli abbaini a contrasto con la quercia scura e usa fuochi da campo delle anime per illuminare il cottage.

SUPER DRITTA

Aggiungere stanze laterali e abbaini è un modo intelligente per rendere più spazioso un edificio.

CUCINA

Crea la cucina sull'area in calcestruzzo piastrellato bianco e grigio che avevi predisposto a piano terra. Includi fornaci per cuocere il cibo e bauli per conservarlo.

CAMERA DA LETTO

Metti un letto al piano superiore e usalo per salvare la tua posizione. Aggiungi bauli pieni di oggetti utili per essere pronto a tornare in azione quando ti rigeneri.

PIANO TERRA

SCALA DI RAMPICANTI

I rampicanti sono decorativi e fungono da scala. Dedicarsi al giardinaggio stimola la creatività ed è di grande aiuto contro lo stress!

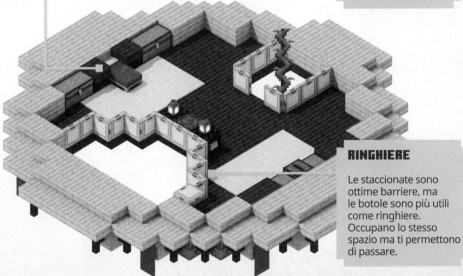

RINGHIERE

Le staccionate sono ottime barriere, ma le botole sono più utili come ringhiere. Occupano lo stesso spazio ma ti permettono di passare.

PRIMO PIANO

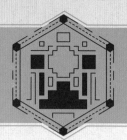

HABITAT DELLA BAIA DEI CORALLI

DIFFICOLTÀ:
⏱ 50 minuti

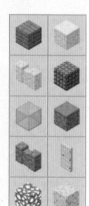

BLOCCHI PRINCIPALI

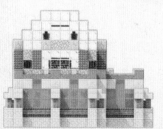

FRONTE

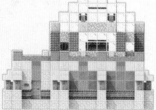

LATO

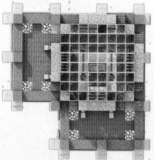

ALTO

Costruire sott'acqua comporta una serie di difficoltà, dalla necessità di respirare a quella di tenere asciutti gli ambienti. In modalità Creativa è tutto più semplice, ma conviene comunque esercitarsi. Inizia cercando una pittoresca barriera corallina per il tuo habitat.

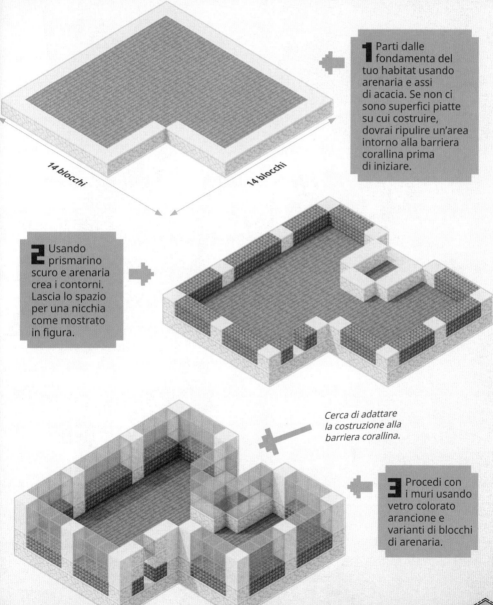

1 Parti dalle fondamenta del tuo habitat usando arenaria e assi di acacia. Se non ci sono superfici piatte su cui costruire, dovrai ripulire un'area intorno alla barriera corallina prima di iniziare.

14 blocchi

14 blocchi

2 Usando prismarino scuro e arenaria crea i contorni. Lascia lo spazio per una nicchia come mostrato in figura.

Cerca di adattare la costruzione alla barriera corallina.

3 Procedi con i muri usando vetro colorato arancione e varianti di blocchi di arenaria.

4 Ravviva gli esterni con eleganti colonne usando scalini, muretti, blocchi e cartelli. Metti una porta di ferro all'entrata e pulsanti per aprirla e chiuderla.

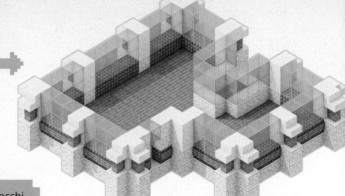

5 Alza i muri con altri blocchi usando arenaria e vetro colorato arancione. Poi inizia ad aggiungere un altro piano con 2 travi, come in figura.

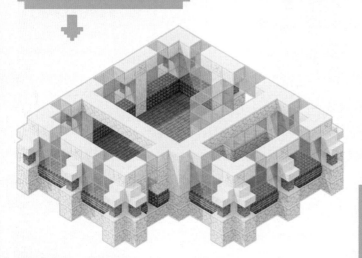

6 Completa il piano usando assi di acacia e luminite. Lascia lo spazio per una scala. La luminite fornirà una luce con la giusta atmosfera.

SUPER DRITTA

Sott'acqua può essere molto buio: usa una Pozione di visione notturna.

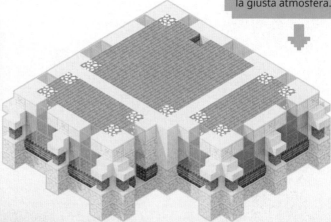

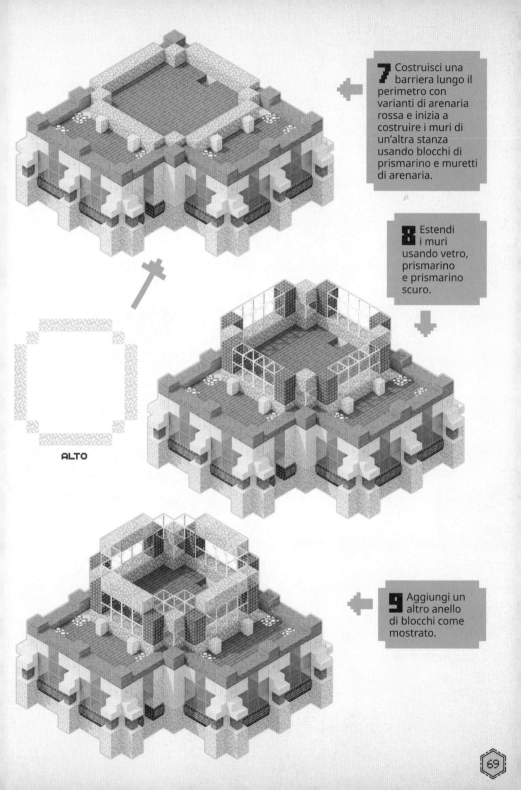

7 Costruisci una barriera lungo il perimetro con varianti di arenaria rossa e inizia a costruire i muri di un'altra stanza usando blocchi di prismarino e muretti di arenaria.

8 Estendi i muri usando vetro, prismarino e prismarino scuro.

9 Aggiungi un altro anello di blocchi come mostrato.

ALTO

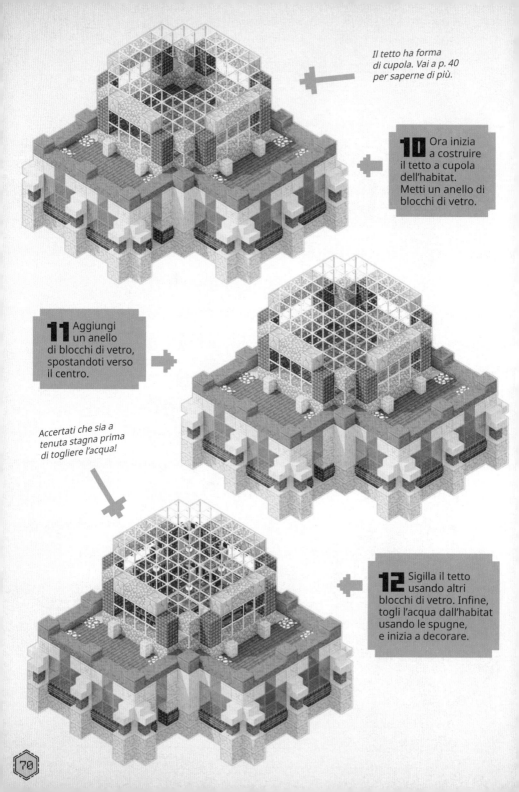

Il tetto ha forma di cupola. Vai a p. 40 per saperne di più.

10 Ora inizia a costruire il tetto a cupola dell'habitat. Metti un anello di blocchi di vetro.

11 Aggiungi un anello di blocchi di vetro, spostandoti verso il centro.

Accertati che sia a tenuta stagna prima di togliere l'acqua!

12 Sigilla il tetto usando altri blocchi di vetro. Infine, togli l'acqua dall'habitat usando le spugne, e inizia a decorare.

A PIÙ PIANI

Metti scale a pioli sulla parete posteriore per salire al primo piano. Prima però devi togliere l'acqua.

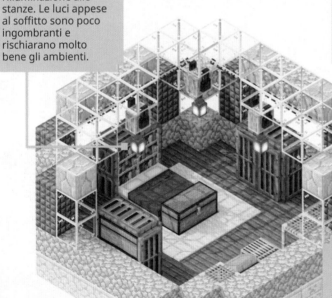

PIANO TERRA

LAMPADARI

Ricorda di aggiungere l'illuminazione alle stanze. Le luci appese al soffitto sono poco ingombranti e rischiarano molto bene gli ambienti.

AREE DEDICATE

Crea aree dedicate piazzando in modo creativo i blocchi. I tappeti grigi e bianchi rendono subito evidente il fatto che questa è la zona cucina.

FINESTRE

Dalle finestre potrai ammirare l'oceano mentre ti addormenti. Per restare in tema con l'ambiente, usa vetro colorato invece del vetro normale.

PRIMO PIANO

SALOTTO

Un piccolo salotto rende la casa più confortevole. Metti tappeti e librerie e usa gli scalini per creare delle panche.

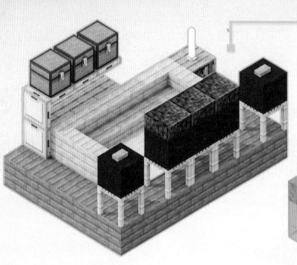

LUMINITE

Aggiungi un'illuminazione integrata alla struttura.

PORTA TV

Per dare una sensazione di completezza all'insieme aggiungi oggetti di uso comune. Per esempio puoi creare un porta TV usando scaffali, pulsanti e blocchi.

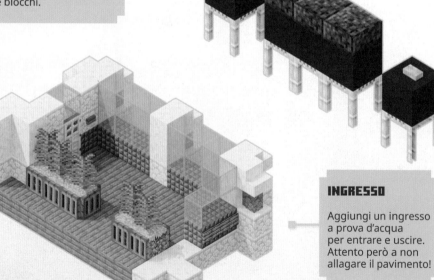

INGRESSO

Aggiungi un ingresso a prova d'acqua per entrare e uscire. Attento però a non allagare il pavimento!

CAMERA DA LETTO

Dormi nella rilassante luce dell'oceano al di là della cupola. Questa grande camera dispone di finestre su ogni lato per ammirare il bellissimo ambiente sottomarino.

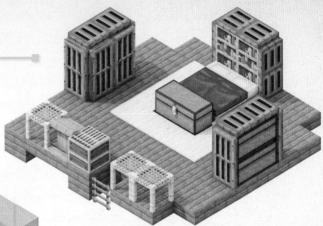

GIARDINO DI CORALLO

Riempi la nicchia con coralli e aggiungi cetrioli di mare per far risaltare i loro meravigliosi colori.

VASI DI PIANTE

Usa botole della giungla, terra e felci per i vasi di piante. Sono compatti e ideali per riempire piccoli spazi.

PAVIMENTAZIONE

I tappeti, come questi bianchi e neri, simulano le piastrelle. Offrono un eccellente contrasto visivo in ambienti molto grandi.

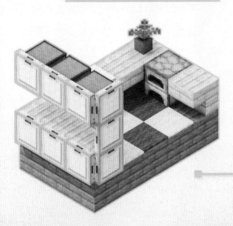

I TRUCCHI DI:
TEAM VISIONARY

Il primo passo, quando si inizia a costruire, è decidere un tema. Questo edificio si ispira ai magnifici templi cinesi e comprende il tipico tetto a cono. "Noterai che abbiamo usato molte lastre, scalini e perfino cancelletti. Sono piccoli blocchi che possono fare una notevole differenza nel tuo edificio."

Scelto il tema, bisogna selezionare i blocchi adatti. "Noi abbiamo usato diversi blocchi, prima di tutto TNT, tronchi di betulla e terracotta bianca, per colorare i muri." Stabilire i tipi di blocchi prima di cominciare fa sì che il tema rimanga coerente dall'inizio alla fine.

Prima di completare l'edificio, valuta se ci sono altri piccoli particolari che puoi aggiungere. Dettagli disposti "simmetricamente intorno all'edificio", come pulsanti e botole, sono finiture che danno un bell'aspetto all'insieme.

Come iniziare una nuova costruzione? Bella domanda!
I membri del Team Visionary hanno condiviso con noi questo piccolo,
stupendo edificio e ci hanno raccontato alcuni dei loro trucchi del
mestiere. Di sicuro, loro sanno come costruire qualcosa di epico!

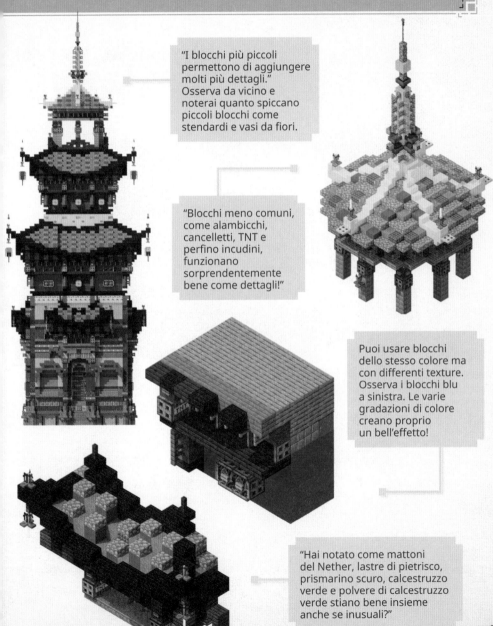

"I blocchi più piccoli permettono di aggiungere molti più dettagli." Osserva da vicino e noterai quanto spiccano piccoli blocchi come stendardi e vasi da fiori.

"Blocchi meno comuni, come alambicchi, cancelletti, TNT e perfino incudini, funzionano sorprendentemente bene come dettagli!"

Puoi usare blocchi dello stesso colore ma con differenti texture. Osserva i blocchi blu a sinistra. Le varie gradazioni di colore creano proprio un bell'effetto!

"Hai notato come mattoni del Nether, lastre di pietrisco, prismarino scuro, calcestruzzo verde e polvere di calcestruzzo verde stiano bene insieme anche se inusuali?"

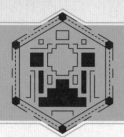

RIFUGIO FUTURISTICO

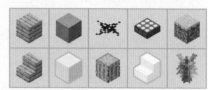

BLOCCHI PRINCIPALI

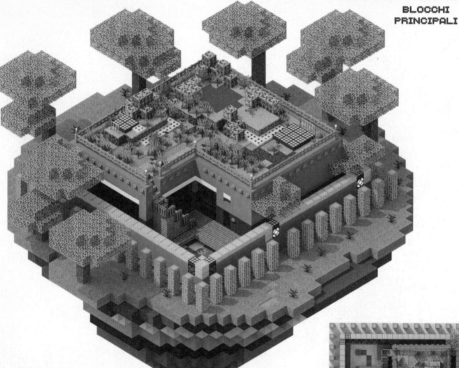

FRONTE

LATO

ALTO

Puoi migliorare enormemente le tue costruzioni pianificando il più possibile in anticipo. Se metti l'impianto di illuminazione nelle fondamenta nasconderai i meccanismi di redstone e avrai un effetto fantastico. Il metodo di nascondere la redstone può essere applicato in tanti altri casi.

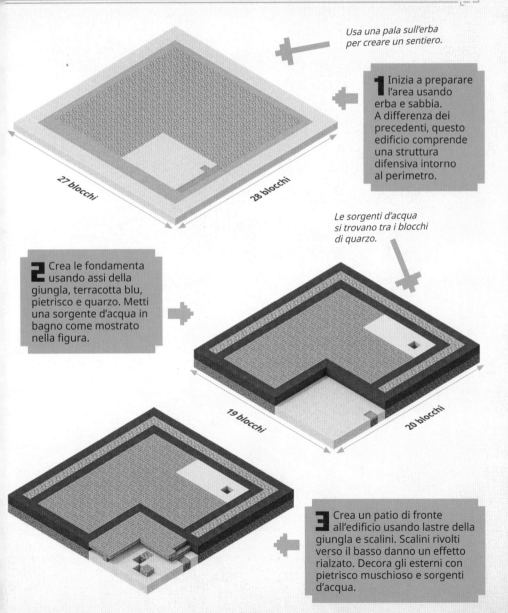

Usa una pala sull'erba per creare un sentiero.

1 Inizia a preparare l'area usando erba e sabbia. A differenza dei precedenti, questo edificio comprende una struttura difensiva intorno al perimetro.

27 blocchi

28 blocchi

Le sorgenti d'acqua si trovano tra i blocchi di quarzo.

2 Crea le fondamenta usando assi della giungla, terracotta blu, pietrisco e quarzo. Metti una sorgente d'acqua in bagno come mostrato nella figura.

19 blocchi

20 blocchi

3 Crea un patio di fronte all'edificio usando lastre della giungla e scalini. Scalini rivolti verso il basso danno un effetto rialzato. Decora gli esterni con pietrisco muschioso e sorgenti d'acqua.

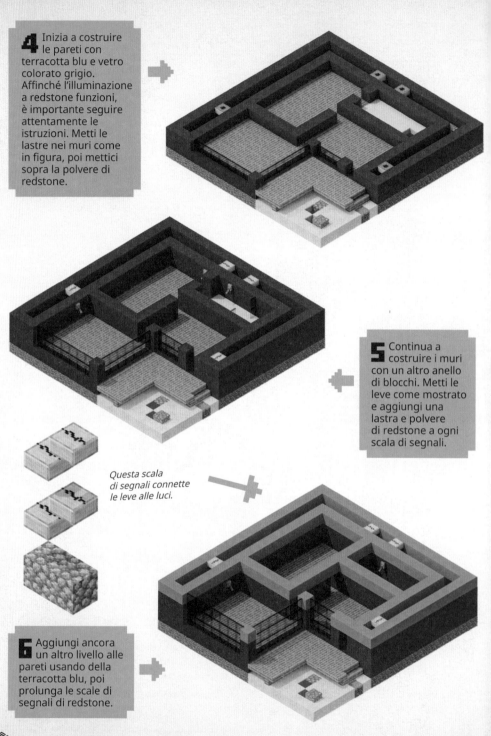

4 Inizia a costruire le pareti con terracotta blu e vetro colorato grigio. Affinché l'illuminazione a redstone funzioni, è importante seguire attentamente le istruzioni. Metti le lastre nei muri come in figura, poi mettici sopra la polvere di redstone.

5 Continua a costruire i muri con un altro anello di blocchi. Metti le leve come mostrato e aggiungi una lastra e polvere di redstone a ogni scala di segnali.

Questa scala di segnali connette le leve alle luci.

6 Aggiungi ancora un altro livello alle pareti usando della terracotta blu, poi prolunga le scale di segnali di redstone.

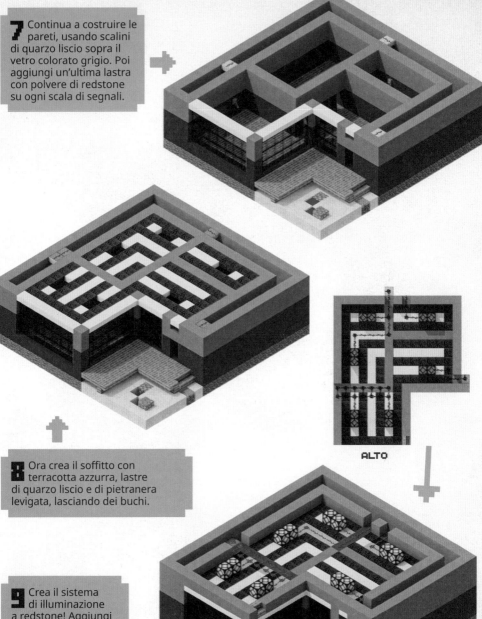

7 Continua a costruire le pareti, usando scalini di quarzo liscio sopra il vetro colorato grigio. Poi aggiungi un'ultima lastra con polvere di redstone su ogni scala di segnali.

8 Ora crea il soffitto con terracotta azzurra, lastre di quarzo liscio e di pietranera levigata, lasciando dei buchi.

9 Crea il sistema di illuminazione a redstone! Aggiungi un altro anello di terracotta azzurra, poi metti lampade a redstone e collegale alle scale di segnali con polvere di redstone.

ALTO

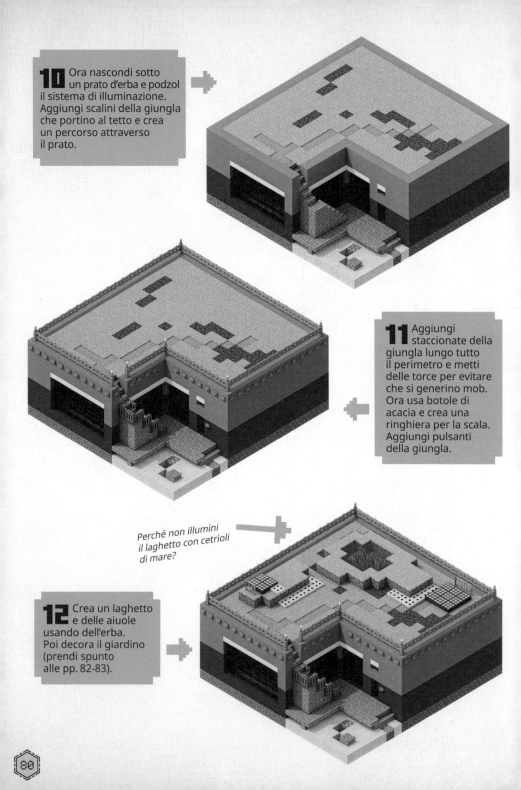

10 Ora nascondi sotto un prato d'erba e podzol il sistema di illuminazione. Aggiungi scalini della giungla che portino al tetto e crea un percorso attraverso il prato.

11 Aggiungi staccionate della giungla lungo tutto il perimetro e metti delle torce per evitare che si generino mob. Ora usa botole di acacia e crea una ringhiera per la scala. Aggiungi pulsanti della giungla.

Perché non illumini il laghetto con cetrioli di mare?

12 Crea un laghetto e delle aiuole usando dell'erba. Poi decora il giardino (prendi spunto alle pp. 82-83).

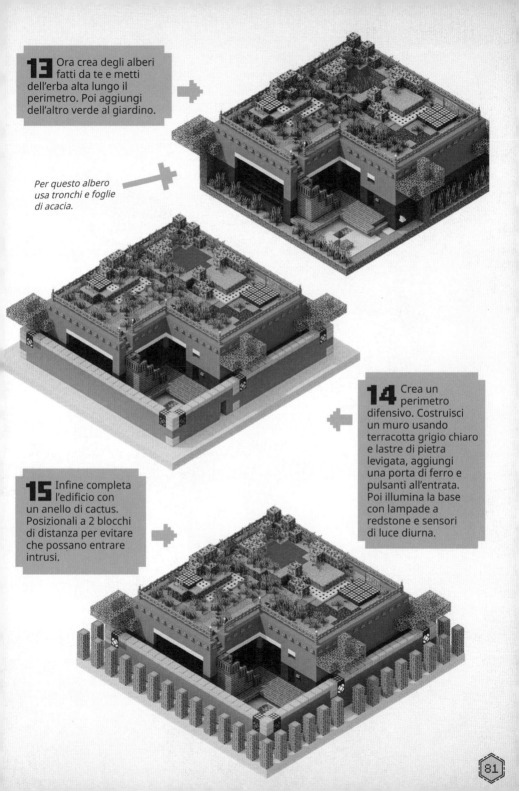

13 Ora crea degli alberi fatti da te e metti dell'erba alta lungo il perimetro. Poi aggiungi dell'altro verde al giardino.

Per questo albero usa tronchi e foglie di acacia.

14 Crea un perimetro difensivo. Costruisci un muro usando terracotta grigio chiaro e lastre di pietra levigata, aggiungi una porta di ferro e pulsanti all'entrata. Poi illumina la base con lampade a redstone e sensori di luce diurna.

15 Infine completa l'edificio con un anello di cactus. Posizionali a 2 blocchi di distanza per evitare che possano entrare intrusi.

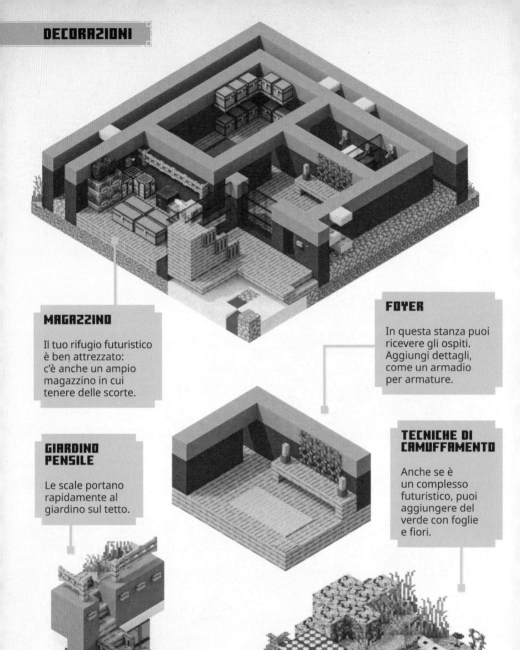

MAGAZZINO

Il tuo rifugio futuristico è ben attrezzato: c'è anche un ampio magazzino in cui tenere delle scorte.

FOYER

In questa stanza puoi ricevere gli ospiti. Aggiungi dettagli, come un armadio per armature.

GIARDINO PENSILE

Le scale portano rapidamente al giardino sul tetto.

TECNICHE DI CAMUFFAMENTO

Anche se è un complesso futuristico, puoi aggiungere del verde con foglie e fiori.

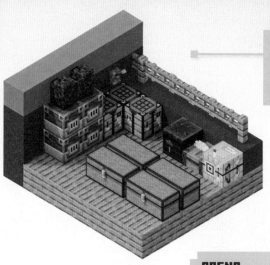

BLOCCHI DA LAVORO

Tieni a portata di mano i blocchi da lavoro per poter preparare i materiali che ti servono in ogni momento.

INGRESSO

Proteggi l'entrata con una porta di ferro e cactus. Puoi piantare i cactus solo su sabbia o sabbia rossa.

BAGNO

Il bagno può essere semplice. Questo è un bagno con doccia, completo di lavandino.

SALOTTO

Questo è un rifugio di sopravvivenza, non una villa! Assicurati di avere provviste a portata di mano dentro i bauli per ogni evenienza.

LASCIAMOCI ISPIRARE DA:
VARUNA

"Come molti della nostra generazione, desideriamo rendere il mondo un posto migliore. Uno dei problemi principali è il riscaldamento globale, così abbiamo pensato: Cosa possiamo fare? Insieme, abbiamo deciso di ispirarci alle massime fonti di anidride carbonica: le fabbriche."

"Le macchine a vapore furono inventate ai primi dell'800, e dopo mezzo secolo tutte le industrie le usavano per migliorare la produttività." Per questa fabbrica sono state usate diverse tonalità di pietra e pietrisco grigio.

"Oggi sappiamo che l'inquinamento prodotto dalle industrie è nocivo, quindi abbiamo ideato un efficiente sistema di filtraggio." Questo sistema imprigiona i gas in tubi di granito e arenaria rossa, e invia il calore in eccesso alle case circostanti.

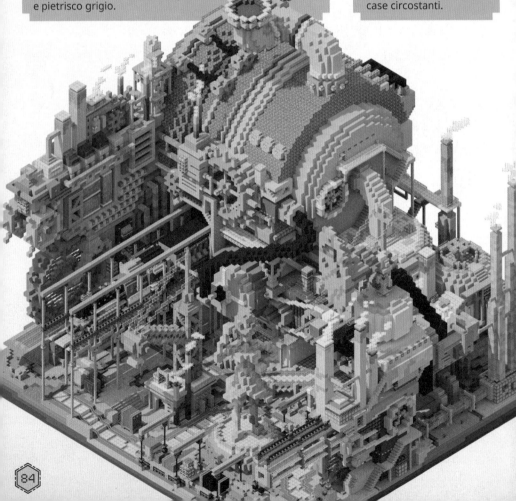

Trovare ispirazione per un nuovo edificio può essere dura, per questo abbiamo chiesto al team di Varuna di spiegarci come passano da una semplice idea a una grande costruzione. Li abbiamo sfidati a creare qualcosa che possa rendere migliore il mondo. Ecco cos'hanno fatto.

Impianti industriali come questo producono tanto calore in eccesso. Una volta purificati, i gas caldi passano in tubi sotterranei e vanno a riscaldare le case. I tubi sono rinforzati con pareti di pietrisco per evitare fuoriuscite di gas nocivo nell'ambiente.

Questo sistema filtrante è costruito con blocchi di andesite e di ferro. I gas passano attraverso diverse camere di filtraggio che li purificano.

"Le macchine a vapore si basano su vapore ad alta pressione. Puoi vedere i tubi in cui l'aria calda passa da una camera all'altra." I tubi sono fatti di mattoni del Nether per dare l'idea che siano coperti di fuliggine.

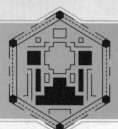

MANIERO MEDIEVALE

BLOCCHI PRINCIPALI

FRONTE

LATO

ALTO

Adesso che hai completato un po' di costruzioni, puoi passare a un altro livello. Costruisci un edificio grande quanto vuoi, ma ricorda di attenerti al tema scelto. Qui vedremo come costruire un maniero medievale. In seguito potrai trasformarlo in un intero borgo!

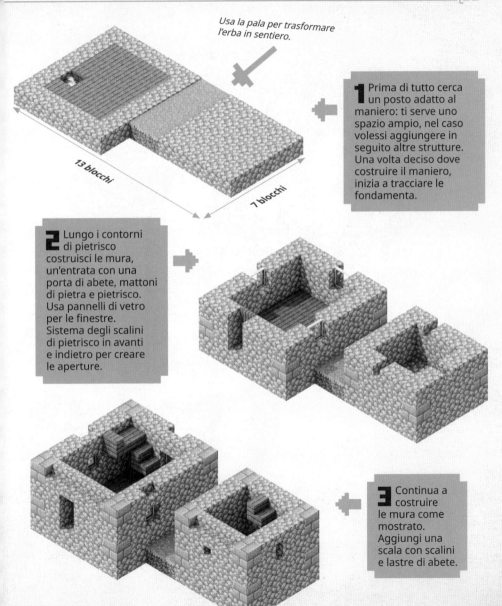

Usa la pala per trasformare l'erba in sentiero.

13 blocchi

7 blocchi

1 Prima di tutto cerca un posto adatto al maniero: ti serve uno spazio ampio, nel caso volessi aggiungere in seguito altre strutture. Una volta deciso dove costruire il maniero, inizia a tracciare le fondamenta.

2 Lungo i contorni di pietrisco costruisci le mura, un'entrata con una porta di abete, mattoni di pietra e pietrisco. Usa pannelli di vetro per le finestre. Sistema degli scalini di pietrisco in avanti e indietro per creare le aperture.

3 Continua a costruire le mura come mostrato. Aggiungi una scala con scalini e lastre di abete.

4 Ora unisci i due edifici tramite un altro piano, costruendolo sulle scale con lastre di abete, tronchi e pietrisco. Decora con pulsanti e staccionate.

5 Alza le mura di 2 blocchi, come mostrato, usando un mix di tronchi di abete e diorite per uno stile in legno e muratura. Lascia molte finestre per far entrare la luce del sole.

6 Ora inizia a costruire il tetto. Usa tronchi di abete e diorite per creare due tetti di forma triangolare, come nella figura accanto.

Vai a p. 39 per informazioni sui prismi triangolari.

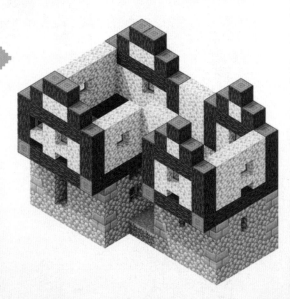

7 Completa i due tetti triangolari usando scalini di abete, blocchi, scalini e lastre di pietrisco.

8 Completa il tetto unendo le due forme triangolari come mostrato in figura.

Vuoi un po' più di colore? Usa gli stendardi!

9 Completa i tetti a spiovente con scalini di pietrisco e andesite, e crea anche un camino. Infine aggiungi qualche ulteriore dettaglio usando pulsanti, staccionate e botole.

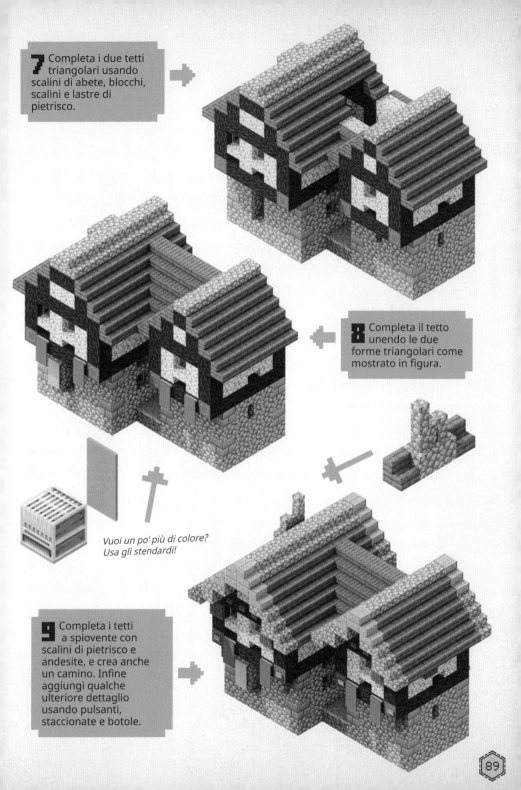

SCALE

Questa scala molto compatta è facile e veloce da costruire, inoltre lascia molto spazio per bauli e barili di provviste.

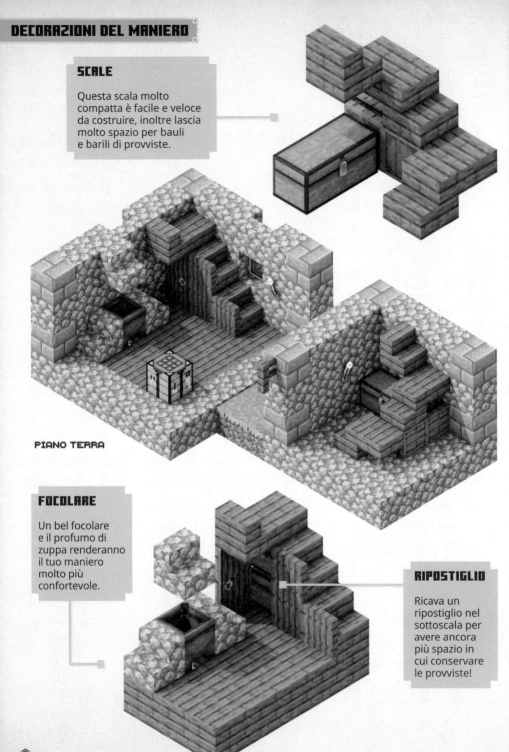

PIANO TERRA

FOCOLARE

Un bel focolare e il profumo di zuppa renderanno il tuo maniero molto più confortevole.

RIPOSTIGLIO

Ricava un ripostiglio nel sottoscala per avere ancora più spazio in cui conservare le provviste!

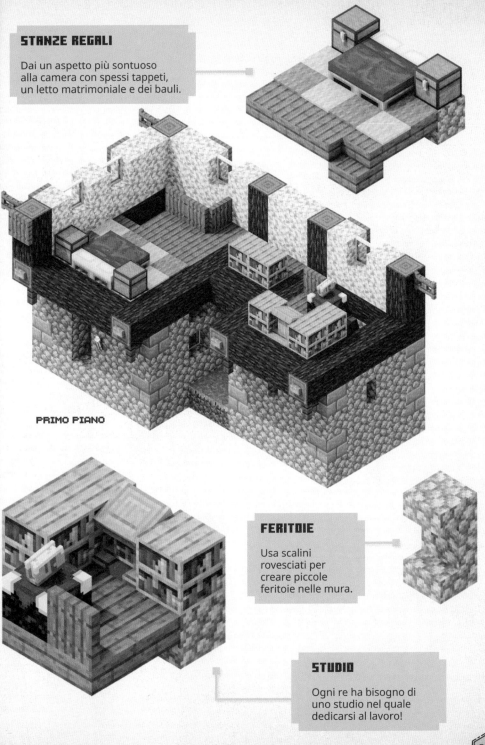

STANZE REGALI

Dai un aspetto più sontuoso alla camera con spessi tappeti, un letto matrimoniale e dei bauli.

PRIMO PIANO

FERITOIE

Usa scalini rovesciati per creare piccole feritoie nelle mura.

STUDIO

Ogni re ha bisogno di uno studio nel quale dedicarsi al lavoro!

Una volta completato il maniero, puoi divertirti a creare un intero borghetto medievale. Ci sono tante strutture che puoi includere, dalla torre di guardia al mercato, dai carretti ai ponti. Che cosa ti va di creare?

BANCARELLA

Le bancarelle danno l'idea di una comunità operosa. I villici potranno comprarvi oggetti utili.

TORRE DI GUARDIA

Con tanti predoni in giro, alla ricerca di villaggi da assaltare, è meglio tenere gli occhi aperti. Una torre di guardia ti permetterà di individuare il nemico quando è ancora lontano!

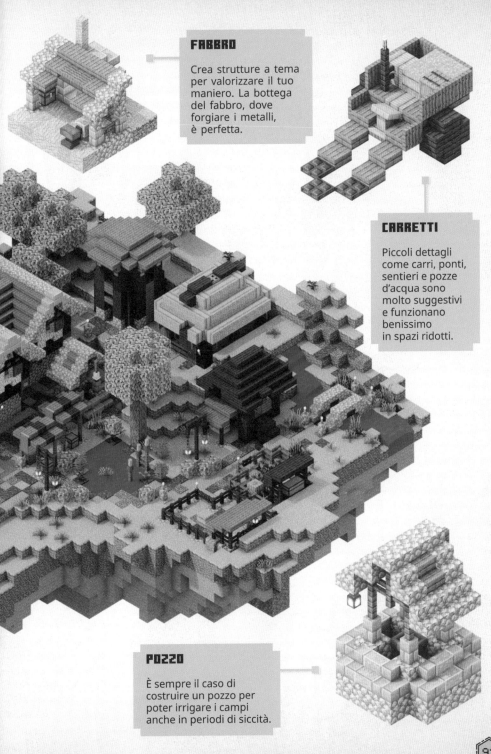

FABBRO

Crea strutture a tema
per valorizzare il tuo
maniero. La bottega
del fabbro, dove
forgiare i metalli,
è perfetta.

CARRETTI

Piccoli dettagli
come carri, ponti,
sentieri e pozze
d'acqua sono
molto suggestivi
e funzionano
benissimo
in spazi ridotti.

POZZO

È sempre il caso di
costruire un pozzo per
poter irrigare i campi
anche in periodi di siccità.

A PRESTO!

Bene, ci siamo! Sei arrivato alla fine di questa guida creativa!

Speriamo che tu abbia imparato qualcosina e che il tuo cervello
sia pieno di idee e spunti da provare. Ma prima di andare abbiamo
ancora un'ultima lezione, forse la più importante di tutte.

Non fermarti a quello che hai letto!

Non esiste un modo giusto o sbagliato di costruire, e finché ti diverti
vuol dire che sta funzionando tutto. Le esperienze dei professionisti
e i consigli che hai trovato in queste pagine sono un punto di partenza,
e adesso sta a te mettere in campo le tue nuove competenze per creare
costruzioni spettacolari.

Comunque non sei solo. Ci sono tante risorse disponibili sul sito
di Minecraft e in rete, e non c'è niente di male a guardarsi intorno per
cercare ispirazione. Non scoraggiarti se i tuoi edifici all'inizio non sono
granché: ci possono volere mesi per creare qualcosa di interessante,
perfino quando vi lavorano intere squadre. E tutti iniziamo da zero.

**OK, ADESSO BASTA DAVVERO. COSA STAI ASPETTANDO?
LIBERA LA CREATIVITÀ! SIAMO CURIOSI DI VEDERE
CHE COSA COSTRUIRAI!**

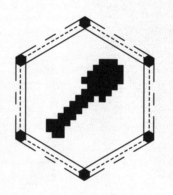